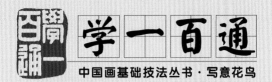

中国画基础技法丛书·写意花鸟

木本

MUBEN
ZHONGGUOHUA JICHU JIFA CONGSHU·XIEYI HUANIAO

黄忠耿◎著

广西美术出版社

序

中国画艺术是中国传统文化的一个特殊的艺术样式和符号，它是中国传统文化及审美精神的载体，有着鲜明的艺术特色和强烈的视觉审美特征，是东方艺术的主要代表形式。中国画艺术随着中华文明的发展而发展，源远流长。虽然到了魏晋南北朝，才有较明显的形式特征，但其作为中华文明史的绘画形态，可上溯到人类文明的早期。隋唐以降，中国画艺术更是繁荣发展，成为与西方绘画并立的人类艺术发展的重要的绘画形式。中国画艺术强调"写意精神"，通过"应物象形"写心中之情怀，达"气韵生动"，表达精神意境的审美目的。其语言主要因素——笔与墨，在千变万化的表现中呈现出独特的视觉审美特点，笔墨"传神"而见精神。因此，掌握笔墨的变化，是学习中国画艺术的基本要求。

《芥子园画谱》是人们熟悉的学习中国画的入门指南，古代没有专门的艺术院校，只有师徒的传授和学习《芥子园画谱》。如今，艺术学院林立，但学习传统中国画，仍须从传统经典范本及《芥子园画谱》中的法则学习。因时代发展和中国画的发展，原有的范本已不太适合和满足人们的学习需求，所以，各类中国画的基础入门辅导书刊应运而生，但因为编者的艺术修养有限，质量参差不齐。

黄忠耿老师是岭南画派第二代代表画家黄独峰先生之子，从幼跟随其父习画，几十年如一日，研究中国画艺术，形成了自己的艺术风格并取得不俗的艺术成就。他长期在广西艺术学院任教，同时担任广西艺术学院成人教育学院副院长、教授，积累了丰富的教学经验。这套国画技法类教材，是他在自己艺术创作及教学实践中总结整理出来的经验，有较强的针对性和较直观易学的特点，特别是他撰著的《学一百通·写意花鸟画基础技法丛书》（《梅花》、《牡丹》、《鱼类》、《木本》、《禽鸟》、《藤本》共六册），更因多为他对中国画研究的心得之述，所以更为生动，深入浅出，易于学习。这套教材可作为学习中国画艺术的学生、爱好者一个很好的入门范本。现在，广西美术出版社出版黄忠耿老师这套丛书的修订本，因作者作为有较高艺术造诣的专家，而且编写内容以易懂易学、入门层次高的效果赢得读者的欢迎和好评，并在社会上产生了较广泛的影响。

一个好画家未必是一个好教师，因为创作和教人是两回事，但黄忠耿老师不但创作丰硕，还潜心教学，硕果累累。他同时把教育作为自己的执着事业，在市场大潮激荡的今天，这种淡泊名利的追求，可贵可敬！这种以传承中国画艺术为己任的担当和使命，一个知识分子的良知和品德昭然可见！衷心地祝贺黄忠耿老师著作再版，也期待着他有更多的作品奉献给广大读者。是为序。

谢 麟

2015年3月10日

（作者系广西美术家协会主席）

一、木本概论

　　木本植物与我们的生活和环境息息相关。它们不但为人类提供各种生活的必需品，还是绿化、美化我们生活环境的重要组成部分，对于我们的生态环境的改善，木本植物起着不可替代的作用。因此木本植物为人们所关注和喜欢是理所当然的，诸多木本植物也就成了绘画的重要题材。

　　木本植物品种繁多，生长地点各异，能被人们选为写意画教学题材的，多为人们熟知和喜欢的植物。能被选为绘画题材的木本植物有如下一些特点：

　　（1）植物的品格或生态特点为人们所赞美，如松树，能在艰苦的环境生长，且凌霜傲雪、四季常青，这种坚强的性格为人们所追求和歌颂，并被作为长寿的象征；如柳树，它飘逸的枝叶带有几分抒情和浪漫，春天发芽生枝，带有浓厚的春天气息，往往被当作春天到来的代表。（2）有美丽的花朵为人们所喜爱，如芬芳的桃李、热烈的杜鹃、洁白的玉兰、挺拔的木棉等。（3）有甘美的果实为人们所欣赏，如荔枝、枇杷、石榴、柿子等。

　　由于各人生活环境不同，喜好各异，因此所选择的绘画题材不尽相同，在学画木本植物的过程中，可先学一些大家常画的题材，掌握一些木本植物的基本画法，然后通过写生和观察，举一反三，找出你想描绘的题材的表现方法。

　　初学者画木本植物，往往会较为关注花、叶或果实的画法，而忽略了枝干，其实完美的作品应是花（果）枝叶等有机地结合在一起，既要有一定的笔墨功夫等艺术表现能力，还要不悖画理。

　　木本植物在写意画法中，小枝条多用没骨法，大枝干一般用勾勒法，前人为我们总结出了不少画大树干的皴法，供我们学习，在学习和创作过程中应灵活运用。

木本实物照片

二、木本植物写意枝干画法

（一）大干画法

木本植物的树干画法可用勾勒法也可用没骨法，但大树干一般用勾勒法，勾勒法画树干分如下步骤：

（1）勾：画出树干的轮廓线。

（2）皴：画出树干表皮的形象及其凹凸变化等。

（3）擦：加强皴的效果，使树干更有质感，更厚重。

说明：在绘画过程中，不一定把以上三个步骤分开进行，可以勾皴擦同时进行，有时因画面需要树干只勾不皴不擦也可。这里图中所示为一些常见的树干画法，可供参考学习。

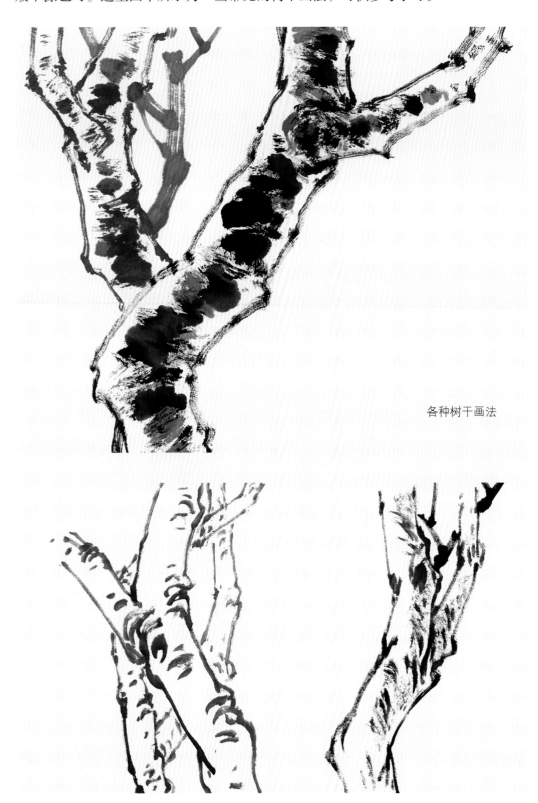

各种树干画法

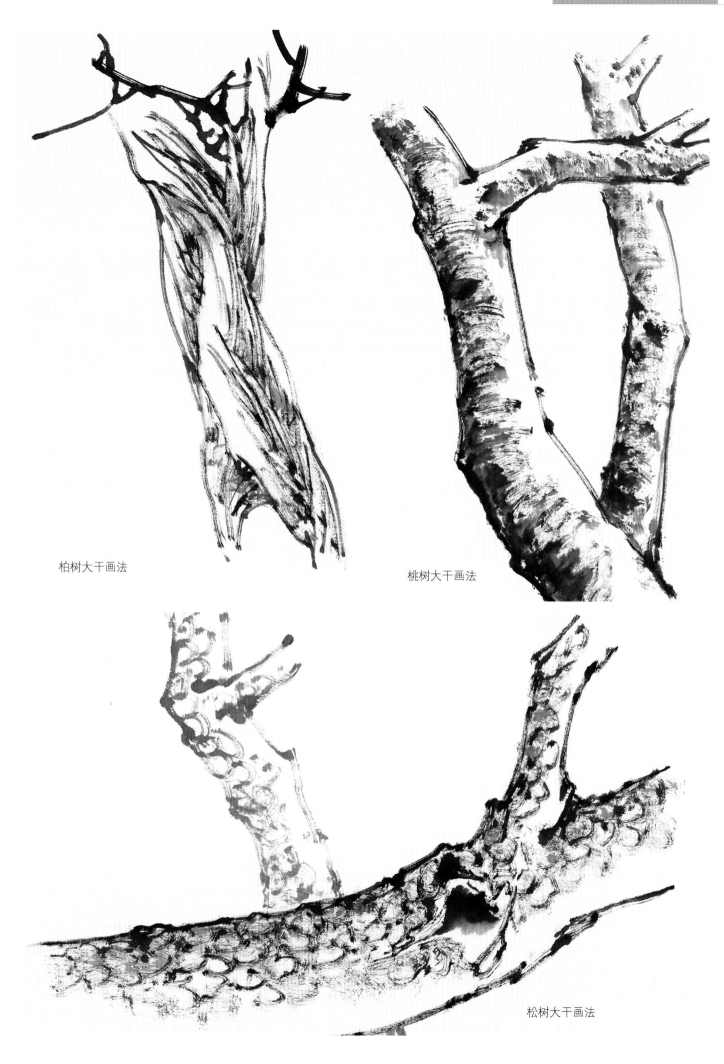

柏树大干画法

桃树大干画法

松树大干画法

（4）点：就是点苔，也是根据需要可点可不点，点苔的作用主要是丰富画面，有时可弥补画面的不足，如在一个比较直的枝上点苔能增加变化，改变枝条太直的情况，点苔有时可盖去一些画面的缺点（小缺点）。

点苔可用墨点也可用色点。如用石色（如石绿）点苔，必须先用浓墨点打底，然后再用石色点，注意不要把打底的墨全部盖掉，要留出一部分。

（5）染：画好的树干，根据画面的需要染墨或染色，染色（墨）可局部染也可通染，写意画染色要活泼，不可平涂，要有浓淡变化。如右图为几种染的方法。

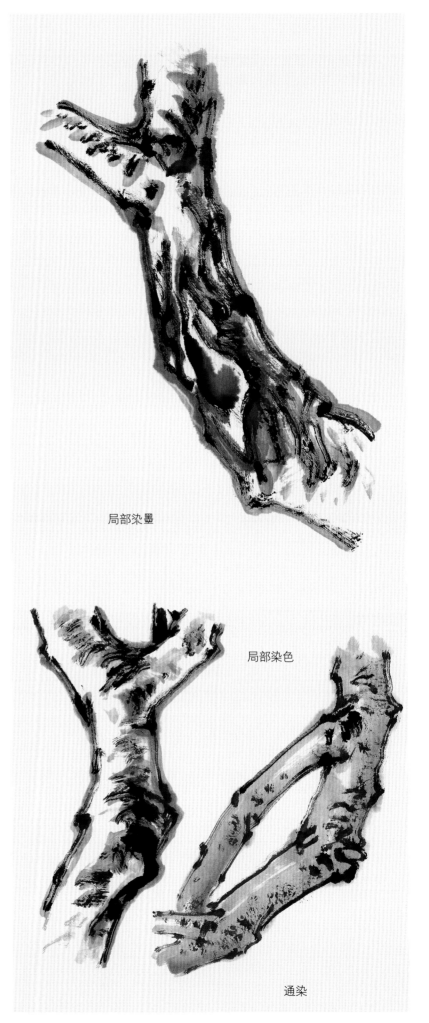

局部染墨

局部染色

通染

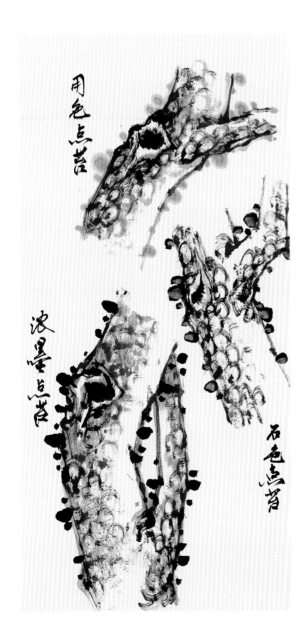

用色点苔

浓墨点苔

石色点苔

（二）小枝画法

画小枝条一般使用没骨法，因不同植物的枝条各有特点，写意画法注重的是意和神，所以可把枝条画法归为一些不同的类型（如图所示）。

当你掌握这些枝条的写意画法以后，可根据你的需要或你所画题材的特点，灵活运用，充分发挥，自然会恰到好处地把你要表现的对象画出来。

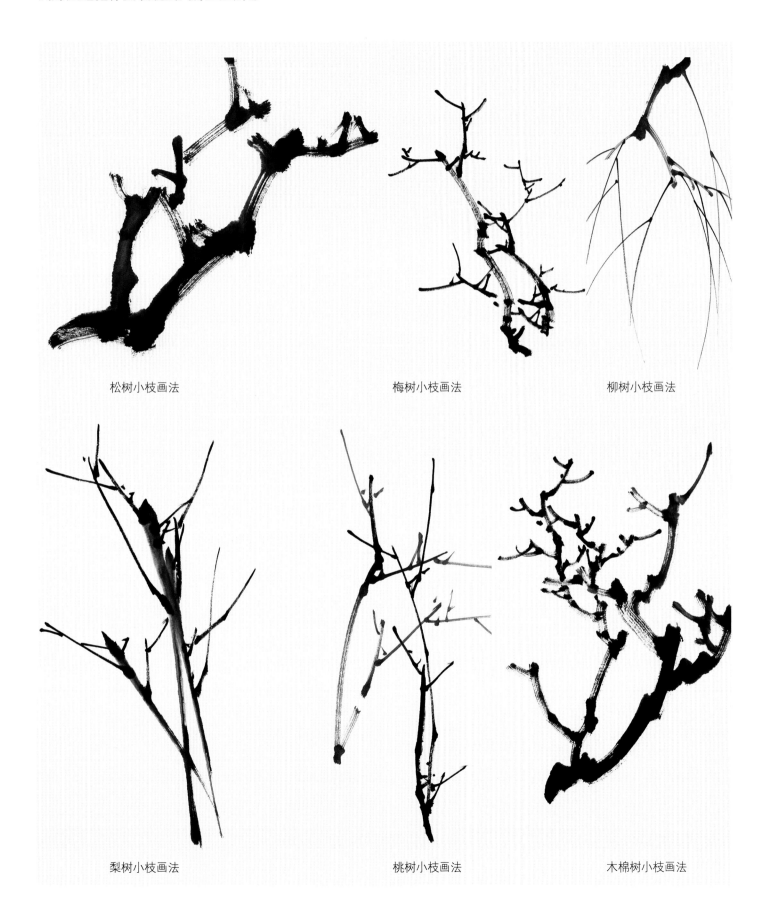

松树小枝画法　　　　　　　　梅树小枝画法　　　　　　　　柳树小枝画法

梨树小枝画法　　　　　　　　桃树小枝画法　　　　　　　　木棉树小枝画法

三、木本植物画法举例

（一）松树画法

　　1. 松树作为一种坚强的植物被歌颂，所画松树的树干尽量要画得矫健有力，矫如游龙，所以枝干的用笔可以焦一些，要画得苍劲一些。大干参照第一章，小干如图所示。

　　2. 松叶（松针）：较传统画法有扇形、轮形两种类型，用笔方法有从中心往外画，如图中①，也可自由行笔，从里往外和从外往里同时使用，以行笔方便为准，如图中②③。

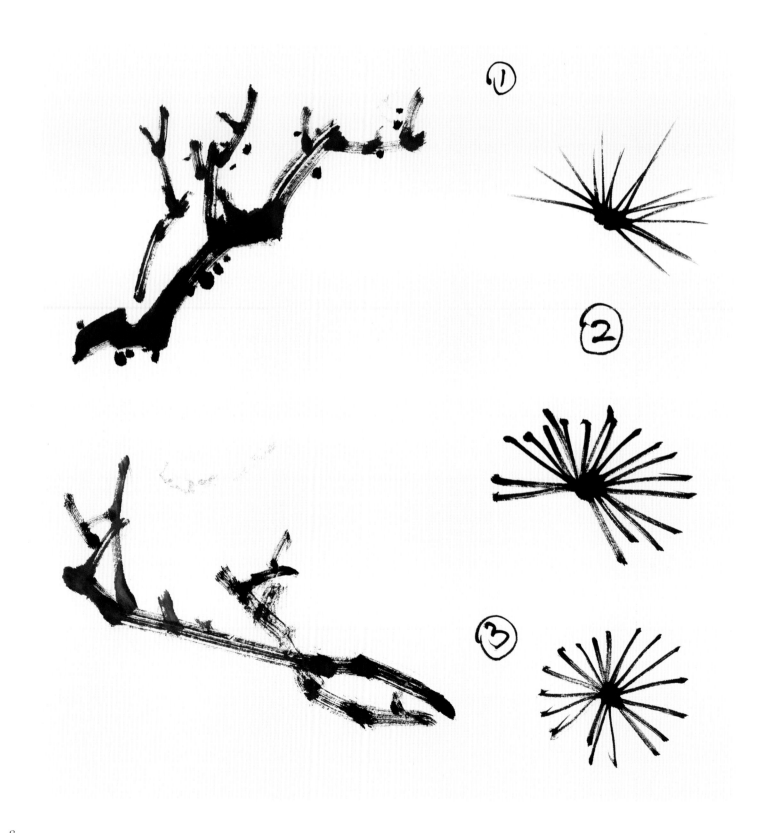

3. 松针的组合和上色：

（1）松针组合在一起时要分组进行，同一组中的松针构成要有疏密变化，同一组的墨色不用太多变化，如图中①。当需要画第二层次的松针时，可另起一组，墨色可淡一些，如图中②所示。

（2）待所画的墨干后，可给松针染色，染色一般用花青加藤黄调出深绿色，有时要表现得更有厚重感时，可在调好的色里再加点墨，浓墨的松针染色重些，淡墨的染色淡些，如有必要可用淡色在后面再画些松针，增加层次。

（3）除了上面的染色方法外，还有一些其他方法，如图所示，就是在完成（2）的步骤后，再用石绿（石青也可）画松针。

（4）当画面需要出现两组以上的松针时，要注意各组松针的形状、面积、组与组的距离，每组松针的角度都应有所不同。

说明：在浓墨所画松针上，再画一次重色的松针。不用在原松针的墨线上重复，而且不必把原来所画的松针全部盖掉，用石色覆盖的松针，墨色要画浓一些。

4. 松树除了传统的画法外，历代画家还创造了一些其他的画法，这里所举的例了为其中一种。

方法：先用较淡墨画树干，趁湿用较浓墨画松针，墨色干后用花青加藤黄调出绿色染松针。

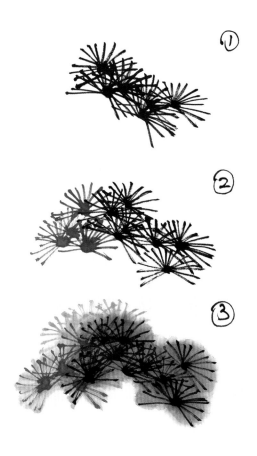

（二）柳树画法

柳树为常见的题材，画的人比较多，由于画家对柳树的理解爱好或表达方式不同，便出现了不少的画法。下面介绍的是一种较为写实的画法。

（1）树枝：柳树的小枝（柳条）画时不必有太多的大小变化，但要有长短变化，柳条之间的组织为人字形，并注意枝条要有疏密变化，枝条之间不要出现平行线。

（2）柳叶：画柳叶有如画竹的"分"字和"父"字，但用笔要瘦些、小些，注意成串叶子的组合和疏密变化，以及用色的浓淡变化。

（3）柳絮：写意画柳树常常加画柳絮，方法如下：先画出柳枝柳叶，然后用钛白加藤黄点柳絮，干后在背后染淡绿色衬托，使黄色更为突出，也可再画一些淡色柳叶，使画面更有层次。

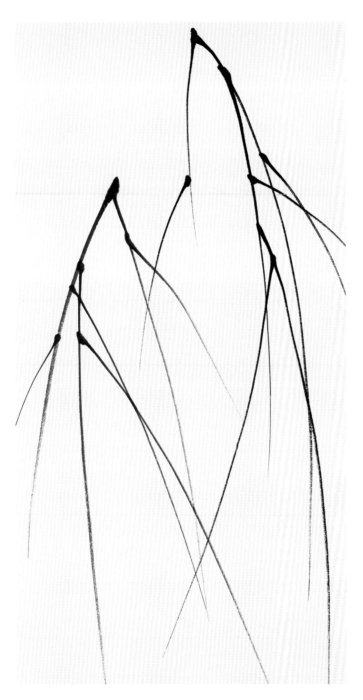

（三）桃花画法

（1）干和枝的画法：大干为较典型的横皴，可先点淡墨，笔尖点较浓墨，侧锋干笔皴出桃干的质感。枝条可中锋用笔，画得细长、圆润和流畅。

（2）花的画法：桃花有不少品种，花有不同颜色，还有重瓣和单瓣之分，但写意画桃花多画粉红色的单瓣桃花，花为五个瓣，花瓣可画得略尖些，颜色可先调淡白色，笔尖点曙红画出（因桃花还有其他颜色，也可用其他颜色来画）。注意每个花瓣色彩的浓淡变化，花托花心要如书法写出一样，不可描。

花苞

花托

不同角度的花

点心几种类型

（3）花枝叶的结合：可先画枝干（枝干要有大小、长短、疏密的变化），再点花，最后画嫩叶（花叶组织要有疏密变化，色彩要有浓淡变化）。

对于初学者而言，花枝叶结合关键就是让花和叶不要与枝脱节，要让人感觉花和叶是生长在枝条上的。（嫩叶：花青加藤黄调出嫩绿色，笔尖点曙红画出，叶脉可用胭脂来画）

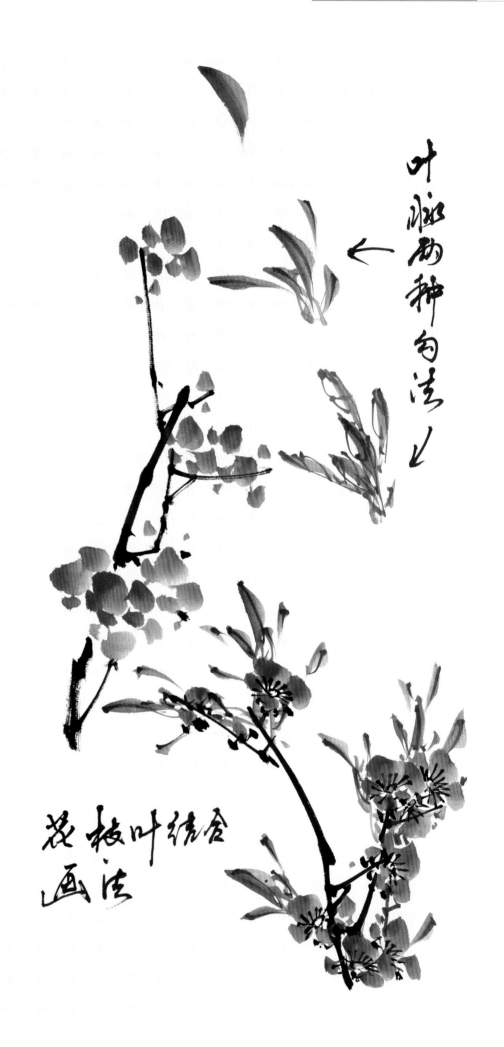

叶瓣的两种勾法

花枝叶结合画法

（四）木芙蓉画法

　　木芙蓉为落叶灌木，秋天开花，故又名拒霜花。秋天百花多零落，然芙蓉此时盛开，因此为人们所称道，并常作为绘画的题材。芙蓉开花时早上多为白色，后渐渐变红，晚上颜色最深。

　　（1）花的画法：画法有勾勒法和没骨法两类。没骨画法，先用曙红从花的中心部位画起，最后用浓白色按花瓣形状勾出花瓣的纹路并点花心；勾勒画法，也可从花中心部位的花瓣勾起，勾好花瓣后再勾花瓣的纹路和点花心。为了让花突出，可用淡色衬托。

　　（2）叶的画法：芙蓉叶为掌形叶，有五个尖，写意画叶可用墨色画出叶的形状（要有浓淡变化），然后勾叶脉。这里介绍几种叶脉的画法，可选择使用，但同一幅画的同一株植物应使用同一种勾法。

嫩叶

（五）木棉画法

木棉为高大挺拔的乔木，开花时没有叶子，老树枝干苍劲、弯曲有力，画家描绘的对象多为老树，因树龄短的木棉枝干太直不宜入画。

（1）花为五瓣筒形花，不同品种的花颜色不同。这里介绍的画法是先调朱磦后点曙红画花瓣，淡朱磦画花筒，胭脂调墨画花心，花青加藤黄调绿色，笔尖蘸曙红或胭脂点花托等，作画时要注意用笔。

（2）花和枝干结合：先画枝干，留一些空位画长在枝条前面的花朵，然后画花和花蕾，注意每组花的疏密变化和花的方向变化。

（六）荔枝画法

荔枝是有名的南方水果，也是较常见的绘画题材。

（1）果实画法：先调较淡朱磦，笔头点曙红打底画出荔枝的形状，然后趁湿用胭脂勾出荔枝表皮的圆圈，圈中间点一小点，最后加枝条。

（2）叶子画法：叶为单片叶，画法如图较为简单，关键在于叶子的组织，要一组一组处理，墨色既要有变化还必须统一。

四、木本创作步骤

（一）秋趣

步骤一　用墨画枝干，大干墨可淡些，小枝可用浓墨，注意墨色要有变化。

步骤二　用浓墨勾出前面的叶子，用淡墨勾第二层次的叶子。

步骤三　先调朱磦，然后笔尖点大红后点曙红给叶子填色，注意色彩的浓淡变化。

步骤四　收拾画面，补充第二层次的叶子，点苔，加画小鸟等。

步骤五　题款盖章，作品完成。

（二）池趣

步骤一　先用墨画出有长短和疏密变化的枝条，用不同浓淡的绿色画出有前后关系的柳树叶。

步骤二　用勾勒法画两只白鹭，并用赭石色衬托。

步骤三　用白色加藤黄，浓色点出柳絮。

步骤四　用淡绿色染柳枝和背景，衬托柳絮和白鹭，并用淡色再画一些柳叶增加画面层次。

步骤五　题款盖章，作品完成。

（三）桂南春早

步骤一　用墨画出有浓淡变化的木棉花枝干，枝干要有大小、长短变化。

步骤二　用笔先调朱磦，笔尖再点曙红画花，色彩要有浓淡变化。

步骤三　胭脂调墨点花心，藤黄加花青调出绿色，然后笔尖点曙红画花托。

步骤四　用淡色画第二个层次的花和枝，并用墨点苔。

步骤五　加画小鸟，题款盖章，作品完成。

（四）桂南奇葩

步骤一　用有浓淡变化的墨色画叶子并勾叶脉。

步骤二　用淡墨勾花，勾花的线条要流畅，并用浓墨补花枝，淡墨补第二层次的叶子。

步骤三　用淡墨画花枝后的树干，勾树干线条要连贯。

步骤四　用浓的白色点花心，然后调藤黄，笔尖点朱磦染花的中心部位，并用淡藤黄衬托花的外围，用淡绿色衬托树干，并点苔。

步骤五　收拾画面，加画小鸟，最后题款盖章。

（五）春意浓

步骤一　用墨画出桃花枝条，枝条要有大小、长短、疏密变化，墨色要有浓淡变化。

步骤二　先调淡白色，笔尖蘸较浓曙红画桃花，点花瓣时要注意用笔，每个花瓣的颜色要有浓淡变化。

步骤三　用胭脂加墨画花心，并补画小枝和花，最后用淡色画第二层次的枝和花，注意用笔。

步骤四　用花青加藤黄调出嫩绿色，笔尖蘸曙红或胭脂画嫩叶，用淡绿色点苔，使桃花显得更娇艳。

步骤五 收拾画面，用浓墨点苔，画一些后面的淡枝和花，增加画面的层次， 加画小鸟，题款盖章，作品完成。

（六）松林小景

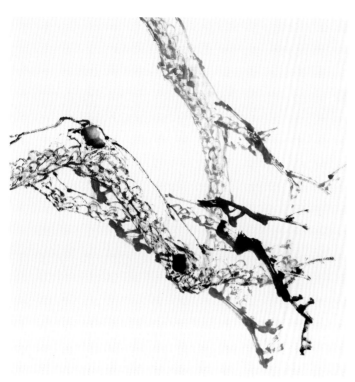

步骤一　用有浓淡变化的墨色画出松树大干，并进行皴擦，用浓墨画出前面的小枝，淡墨画第二层次小枝，枝干用笔可干些，要有力和苍劲。

步骤二　用不同浓淡的墨色画出各层次的松针，用笔要自然流畅。

步骤三　染色：用花青加藤黄调绿色染松针（不同层次要浓淡不同），用赭石加墨（也可用朱磦加墨）调出赭墨色染大干。

步骤四　加画小鸟。

步骤五　收拾画面，给枝干点苔，增加松针的层次，最后题款盖章，作品完成。

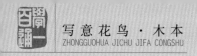

五、范画与欣赏

黄忠耿　南国佳果　28 cm×70 cm

黄忠耿　玉洁冰清　68 cm×68 cm

黄忠耿　月季扇面　28 cm×70 cm

黄忠耿　收获时节　28 cm×70 cm

黄忠耿　杜鹃扇面之二　28 cm×70 cm

黄忠耿　杜鹃扇面之一　28 cm×70 cm

黄忠耿　南国五月　28 cm×70 cm

黄忠耿　杜鹃扇面之三　28 cm×70 cm

黄忠耿　欢歌
68 cm×75 cm

历代木本诗词选

宣城见杜鹃花（唐·李白）

蜀国曾闻子规鸟，宣城还见杜鹃花。
一叫一回肠一断，三春三月忆三巴。

黄忠耿　大明山小景
68 cm×68 cm

黄忠耿　丰收曲
68 cm×68 cm

黄忠耿　春雨
68 cm×68 cm

历代木本诗词选

新柳（唐·杜牧）

无力摇风晓色新，细腰争妒看来频。

绿荫未覆长堤水，金穗先迎上苑春。

几处伤心怀远路，一枝和雨送行尘。

东门门外多离别，愁杀朝朝暮暮人。

黄忠耿　春枝
68 cm×68 cm

黄忠耿　秋实
68 cm×68 cm

黄忠耿　秋晨
68 cm×68 cm

历代木本诗词选

木芙蓉（唐·王维）

木末芙蓉花，山中发红萼。
涧户寂无人，纷纷开且落。

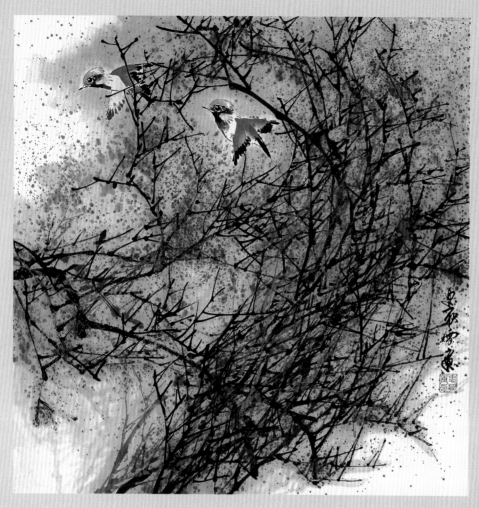

黄忠耿　初夏
68 cm×68 cm

黄忠耿　傍晚
68 cm×68 cm

黄忠耿　解语
68 cm×68 cm

历代木本诗词选

题玉兰（明·沈周）

翠条多力引风长，点破银花玉雪香。
韵友自知人意好，隔帘轻解白霓裳。

黄忠耿　春风
68 cm×136 cm

历代木本诗词选

题百叶桃花（唐·韩愈）

百叶双桃晚更红，窥窗映竹见玲珑。

应知待史归天上，故伴仙郎宿禁中。

黄忠耿　桂南春色
68 cm×136 cm

黄忠耿　南国五月
68 cm×68 cm

松树（唐·白居易）

白金换得青松树，君既先栽我不栽。

幸有西风易凭仗，夜深偷送好声来。

历代木本诗词选

黄忠耿　松林小景
89 cm×39 cm

黄忠耿　春浓
68 cm×136 cm

黄忠耿　秋末
68 cm×68 cm

历代木本诗词选

田园乐（唐·王维）

桃红复含宿雨，柳绿更带朝烟。

花落家童未扫，莺啼山客犹眠。

黄忠耿　春池蛙声

104 cm×42 cm

黄独峰　红棉花开
97 cm×159 cm　1974年

黄独峰　春江图
69 cm×111 cm　1978年

历代木本诗词选

三月一十雨寒（宋·杨万里）

姚黄魏紫向谁赊，郁李樱桃也没些。

却是南中春色别，满城都是木棉花。

黄忠耿　滴翠
136 cm×68 cm

黄独峰　姹紫嫣红
140 cm×190 cm　1979年

历代木本诗词选

玉兰（明·文徵明）

绰约新妆玉有辉，素娥千队雪成围。

我知姑射真仙子，天遣霓裳试羽衣。

影落空阶初月冷，香生别院晚风微。

玉环飞燕原相敌，笑比江梅不恨肥。